LA QUILLE DU SIÈCLE

© NOURITURFU, 2022
CONCEPTION GRAPHIQUE:
MARTHE POIZAT
DIFFUSION ET DISTRIBUTION:
HARMONIA MUNDI LIVRE
ISBN 978-2-490698-62-2

WWW.NOURITURFU.COM
@ NOURITURFU
#LAQUILLEDUSIECLE

LOUIS MESANA – MARTHE POIZAT

LA QUILLE DU SIÈCLE

CHAPITRE 1

NE VOUS DEMANDEZ PAS CE QUE LA RESTAURATION PEUT FAIRE POUR VOUS

FIN DE SERVICE AU FILLMORE

UNE INSTITUTION POUR TOUS LES AMOUREUX DU **PRODUIT**.

CHARLIE, LE JAP S'EST FAIT LA MALLE !

ET LE DANOIS DE LA 7 AUSSI !

PAR LÀ !

ENFIN...PSS...PSS... SOYEZ RAISONNABLE !

CHARLIE ET STEVE RETROUVENT VITE LES MAUVAIS PAYEURS DANS UNE RUELLE À L'ARRIÈRE DU RESTAURANT.

DEUX ANS PLUS TÔT

AVANT QUE JE BOSSE DANS LA RESTAURATION, JE DESSINAIS DES PLANS DANS UN CABINET D'ARCHITECTE. J'ÉTAIS BON, J'AVAIS 6 MOIS DE COMMANDES D'AVANCE ET LES PATRONS ME LAISSAIENT TRANQUILLE. JE POUVAIS MÊME BOSSER DE CHEZ MOI DÈS QUE J'EN AVAIS MARRE DU MAUVAIS CAFÉ DE LA BOÎTE. J'AVAIS 5 SEMAINES DE VACANCES, 12 RTT, ET À L'ÉTAGE DU DESSUS ÇA PARLAIT MÊME DE ME FAIRE ASSOCIÉ DANS LES TROIS ANS.

MAIS QUELQUE CHOSE ME MANQUAIT.

TIENS, FILE-MOI UN COUP DE MAIN.

ET JE NE SAIS PAS POURQUOI, MAIS J'AI COMMENCÉ À DÉCHARGER LE CAMION AVEC LUI. C'ÉTAIT NATUREL. IL M'A DIT «PASSE ME VOIR À CETTE ADRESSE LA SEMAINE PROCHAINE SI TU CHERCHES DU BOULOT. LE BOSS RECRUTE.»

...ET, JUSTE COMME ÇA, J'AI ARRÊTÉ DE DESSINER DES PLANS D'IMMEUBLE.

DANS LA VRAIE VIE, CHARLIE AURAIT PU ÊTRE UN JUNKIE OU UN ALCOOLO DE PREMIÈRE MAIS DANS LA **RESTAURATION**, C'ÉTAIT UN **DIEU.** IL FALLAIT VOIR CE QU'IL S'ENVOYAIT, ET COMMENT ON L'ACCUEILLAIT DÈS QU'IL RENTRAIT QUELQUE PART. IL CONNAISSAIT TOUT LE MONDE, LES MUSICIENS, LES ÉCRIVAINS, ET DANS LA POLITIQUE AUSSI. JE VEUX DIRE, QU'EST-CE QUE TU CROIS QU'UN TYPE COMME LUI FOUTAIT À NETTOYER DES TABLES À 23h30 UN DIMANCHE SOIR. LA CAVE ÉTAIT BOURRÉE DE MILLÉSIMES, MAIS LA CLÉ, IL N'Y AVAIT QUE CHARLIE ET LE BOSS QUI L'AVAIENT. IL BOSSAIT PEUT-ÊTRE COMME UN ESCLAVE MAIS IL VIVAIT COMME UN ROI.

J'AI VITE COMPRIS QUE DANS LA RESTAURATION, UN CLIENT NE SERVAIT QU'À REMBOURSER LE JOUR TOUTES LES BOUTEILLES QU'ON SE DESCENDAIT LA NUIT.

ON NETTOYAIT LES ASSIETTES, ON GARAIT LES VOITURES, ON FAISAIT BRILLER LES CHIOTTES, MAIS QUAND ON ÉTEIGNAIT LA LUMIÈRE APRÈS LE SERVICE, ON VIVAIT MIEUX QUE TOI ET TA POULE RÉUNIS. LES TYPES BUVAIENT DU 2014 COMME SI C'ÉTAIT L'ÉVÈNEMENT DE LA SEMAINE, NOUS, ON AVAIT ENCORE TOUTE UNE PILE DE 2010 À PEINE ENTAMÉE.

IL Y AVAIT **ZÉRO LIMITE** ET ÇA ROULAIT TOUT SEUL.
NOTRE JOB AVEC CHARLIE, C'ÉTAIT SIMPLEMENT DE GARDER LA MACHINE
BIEN HUILÉE – CONTINUER DE VENDRE LES VINS AUX TOURISTES
ET GARDER LES QUILLES DE PRÉCISION BIEN AU FOND DE LA CAVE.

LES CLIKOS DE PASSAGE, ON GÉRAIT ÇA LES YEUX FERMÉS.
TENIR LA CHAISE À MADAME, PRENDRE LE MANTEAU
DE MONSIEUR, UNE PETITE SYRAH SUR LA TAPENADE,
METS TA CEINTURE ON VA TE FAIRE DÉCOLLER.

ILS REPARTAIENT LES YEUX OUVERTS COMME DES CHOUETTES, AVEC ASSEZ D'HISTOIRES À RACONTER AUX COLLÈGUES POUR LES SIX PROCHAINS MOIS.

LES GROS POISSONS – EUX, C'ÉTAIT VRAIMENT UNE AUTRE HISTOIRE.
LES DANOIS OU LES JAPONAIS **ACCROS À LA VOLATILE.***

ILS POUVAIENT RUINER LA RÉPUTATION D'UN BOUCLARD
SUR UNE SEULE BOUCHÉE OU LÂCHER 300 BALLES POUR UN CANON*
SUR UN COUP DE TÊTE, POUR LA SIMPLE RAISON QUE C'ÉTAIT
UNE ÉTIQUETTE QU'ILS N'AVAIENT PAS L'HABITUDE DE VOIR.

ET MÊME S'ILS COMMENÇAIENT CALME, AVEC UNE PETITE BULLE,
CE GENRE DE MECS NE POUVAIT PAS SE RETENIR LONGTEMPS
AVANT DE FOUILLER DANS LA CARTE DES VINS, SURTOUT QUAND C'ÉTAIT
UN PAVÉ DE 50 PAGES ET LA RÉPUTATION DU **FILLMORE.**

EN HAUT À LA DIRECTION, ÇA BRASSAIT LE CASH. LE BOSS DESCENDAIT CHERCHER SON ENVELOPPE TOUTES LES SEMAINES, ET LE RESTE IL EN AVAIT **RIEN À CARRER**.

IL S'ENVOYAIT UN SERVICE DE TEMPS EN TEMPS POUR MONTRER QU'IL SAVAIT TOUJOURS FAIRE, MAIS PERSONNE N'ÉTAIT DUPE. LES MECS COMME LE BOSS, TU NE TE RETOURNERAIS PAS C'EST DES TYPES COMME LUI CONTRÔLENT TOUTE LA CAME QUE TU MANGES ET BOIS EN VILLE.

ILS ONT L'AIR DE RIEN, DANS LA RUE, MAIS QUI DISCRÈTEMENT

LE LENDEMAIN SOIR AU FILLMORE.

LES CLIENTS S'ENTASSENT DÉJÀ DANS LA RUELLE DANS L'ESPOIR D'AVOIR UNE TABLE.

CHAQUE SERVICE EST UN CRASH CONTRÔLÉ.
LA GESTION DU CHAOS, UN CORPS À CORPS AVEC L'ENTROPIE,
COMME ÉCOPER À LA PETITE CUILLÈRE EN PLEIN NAUFRAGE.
LA SEULE SOLUTION EST DE NE PAS RÉSISTER, DE SURFER LA VAGUE,
DOMPTER LA BÊTE EN ÉVITANT LES ROCHERS.

IL Y A DES JOURS OÙ ELLE VOUS DÉPOSE JUSQU'À LA PLAGE. UN SACRÉ RUSH !

MAIS CE SOIR-LÀ, VU L'HUMEUR DU BOSS, ON SAVAIT TOUS QUE CE NE SERAIT PAS LE CAS.

CHAPITRE 2

PAS DE PALAIS AU PILI PILI !

SCRITCH... SCRITCH...

MMPFF...PFF...

CLIC.

MMMH...Y'A BIEN CE TRUC DONT JE VOUDRAIS ME DÉBARRASSER.

J'AI TOUTE UNE PALETTE DE VINS SUR LES BRAS. DES SCHRINKEN 03 AVEC 4GR DE VOLATILE.

4 GRAMMES ?!

À CE NIVEAU LÀ, C'EST PLUS DU VIN, C'EST DE LA NITRO. HIER UN PIGEON D'AMÉRICAIN M'A PROPOSÉ DE TOUT RACHETER, MAIS SI LES DOUANES APPRENNENT QUE J'AI ENVOYÉ DES QUILLES À 4GR DE VOL À L'ÉTRANGER, ILS VONT ME FERMER LE BOUCLARD.

J'AI DÉJÀ BU DES VIEUX SCHRINKEN AVEC 4GR DE VOL.

CHAPITRE 3
APRÈS
LA RÉVOLUTION, TOUT IRA MIEUX.

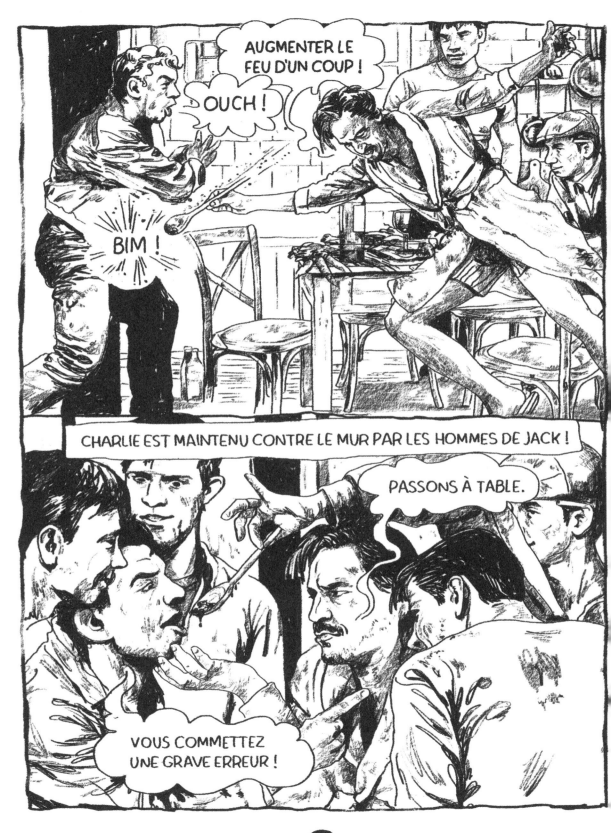

74

CHAPITRE 4
LA NAUSÉE DE JACK DICKINSON

QUELQUES ANNÉES AUPARAVANT.

JACK ÉTAIT ALORS UN AMÉRICAIN ANONYME DE PASSAGE À PARIS. IL ATTENDAIT LE TRAIN POUR GENÈVE OÙ UN COMITÉ INTERNATIONAL D'OENOLOGUES LUI AVAIT DONNÉ RENDEZ-VOUS POUR LUI REMETTRE LE PRIX DE MASTER SOMMELIER. JACK ÉTAIT SUR LE TOIT DU MONDE ET CE JOUR AURAIT DÛ ÊTRE LE PLUS BEAU JOUR DE SA VIE.

MAIS JACK AVAIT UNE ÉTRANGE INTUITION... IL AVAIT TRAVAILLÉ SI DUREMENT POUR OBTENIR CE TITRE, ET MAINTENANT QU'IL LUI ÉTAIT PROMIS, IL L'ACCUEILLAIT LA BOULE AU VENTRE, HANTÉ PAR LE TERRIBLE PRESSENTIMENT QUE SA VIE ÉTAIT SUR LE POINT DE DÉRAILLER.

IL S'INSTALLA À TABLE, DANS LE WAGON RESTAURANT, ET TENTA DE DÉTOURNER SES IDÉES NOIRES EN PARCOURANT MINUTIEUSEMENT LA CARTE DES VINS.

IL HÉSITAIT À COMMANDER UN BEAU BOURGOGNE OU UN GRAND CHAMPAGNE POUR CÉLÉBRER UNE OCCASION QUI, POUR N'IMPORTE QUI D'AUTRE, PENSAIT-IL, SERAIT MOTIF D'UNE GRANDE JOIE.

JACK EST PRIS DE NAUSÉE...CE WAGON LE MÈNE VERS UN MAUVAIS DESTIN!

JACK, IL TE FAUT DÉSAPPRENDRE LE VIN ET RENONCER À TON PRIX GENEVOIS SI TU SOUHAITES UN JOUR RESSENTIR À NOUVEAU CANDIDEMENT LE VIN, COMME L'A SI BIEN FAIT LA FEMME DE DIMITRI DEVANT TOI !

JACK DESCEND DU TRAIN POUR PRENDRE L'AIR...

MAIS LA LOCOMOTIVE REPART AVANT QU'IL NE PUISSE REMONTER ...

LORSQU'IL RELÈVE LA TÊTE, JACK VOIT AVEC HORREUR LE TRAIN DÉRAILLER ET TOMBER DANS LE VIDE !

CHAPITRE 5
LA RUÉE VERS LE CANON

DIMITRI LEONIDOVITCH COSTAT, C'EST LA SOURCE. C'EST PUR, BORDEL,
LA SEULE CHOSE À DÉFENDRE, CE QUI NOUS RÉUNIT TOUS AU MILIEU
DU MERDIER GÉNÉRAL. QU'EST-CE QU'ON FOUT À SE RETROUVER
SUR LES DEALS D'UN ESCROC COMME ZAPATA QUI SENTENT LA MERDE
À DES KILOMÈTRES, OU À ÉCOUTER UN AMÉRICAIN HALLUCINÉ QU'ON CONNAÎT
À PEINE, ALORS QU'ON DEVRAIT SE CONCENTRER À DÉFENDRE DES VINS
COMME CEUX DE DIMITRI.

TOUS CES GARS À LA FIN DES ANNÉES 50,
QUI AVAIENT EU LEUR **LINK WRAY**, LEUR **DICK DALE**,
LES PREMIÈRES FOIS QUE QUICONQUE ENTENDAIT UNE FUZZ EN LIVE !
OUI, JE VEUX DIRE, CHAQUE GÉNÉRATION A SA CERISE, QUOI.
LA RÉACTION DES PREMIERS TYPES À SE TROUVER DEVANT LA TOILE
D'UN **JACKSON POLLOCK** DANS LES ANNÉES 40 PAR EXEMPLE,
ÇA NON PLUS ON NE VERRAIT JAMAIS.
L'AVANT-GARDE DE NOTRE GÉNÉRATION, **NOTRE CERISE À NOUS**,
C'ÉTAIT SÛREMENT CE **VIN LIBRE** QUI PRENAIT TOUT LE MONDE DE COURT.
ON SAVAIT QU'ON POURRAIT DIRE UN JOUR : J'AI CONNU **MOTOBARRO**
AVANT QU'IL NE SORTE SES PREMIERS VINS, J'AI GOÛTÉ LES PREMIERS
MILLÉSIMES D'UN **BAPTISTE VOISIN**, ON ACHETAIT ÇA 8 EUROS.

QU'EST-CE QUI AVAIT PU ARRIVER À UN TYPE COMME DIMITRI
POUR DISPARAÎTRE COMME ÇA ? IL AVAIT DÛ PÉTER UN BOULON, FATIGUÉ
QUE PERSONNE NE COMPRENNE SA LANGUE. BIENTÔT LES CORBEAUX
SPÉCULERONT SUR INSTAGRAM LES DERNIÈRES BOUTEILLES
DE SON HÉRITAGE. UNE SACRÉ VICTOIRE POUR LA VOLATILE.

BON, BON, OUBLIEZ TOUT ÇA, ET ALLEZ GOÛTER LES VINS. PENSEZ À GOÛTER LES FROMAGES AUSSI, LES GARS.

OUAIS, OUAIS.

UN DANOIS ?!

LES FLICS, CABOSSÉS, FONT IRRUPTION DANS LA FOULE.

C'EST LA POLICE ?

JE SUIS JAMAIS MONTÉ AUSSI HAUT À 14H30 !

REDESCENDS, IL Y A LES FLICS !

PAS LE MOMENT DE DISCUTER DE TOUT ÇA ! **DISPERSION,** ET RENDEZ-VOUS CE SOIR AU FILLMORE POUR TIRER CETTE AFFAIRE AU CLAIR !

BE CAREFUL, LOVE.

STEVE NE PEUT RETENIR UN CRI DE PLAISIR EN GOÛTANT LA BULLE.

RRMMMMMAAAA

L'IMBÉCILE ! IL VIENT PAR LÀ MÊME D'ALERTER LA FOULE DES DÉGUSTATEURS QUE LES VINS D'AXEL GOÛTENT PARFAITEMENT !

120 !

160 !

240 !

LES TÊTES SE TOURNENT, ET TOUS LES YEUX DU MILIEU FIXENT BIENTÔT LE PAUVRE AXEL, PRIS COMME UN LAPIN DANS LES PHARES D'UNE VOITURE.

320 !

280 !

400 !

C'EST LA RUÉE VERS LE CANON ! TOUS LES SOMMELIERS PASSENT DES ORDRES D'ACHAT COMME À LA BOURSE !

CHAPITRE 6

QU'EST-CE QUE C'EST QUE CETTE ODEUR ?

CHAPITRE 7

LE GRAND SOIR !

LE BOSS, IL FALLAIT L'ENTENDRE PARLER DES FRAMBOISES BLANCHES, DES GROSEILLES À MAQUEREAUX, DES FEUILLES D'HUÎTRE OU DU FENOUIL BRONZE QU'IL AVAIT TROUVÉ CHEZ UNE MARAÎCHÈRE QUI LUI FAISAIT PARVENIR SECRÈTEMENT PAR LA POSTE DANS UN PETIT PAQUET QUI ARRIVAIT À CHAQUE FOIS EN HAILLONS.

SOUVENT IL ÉCHANGEAIT À MI-VOIX AVEC UN CHEF DE PARTIE LES NUMÉROS DES DERNIERS BATEAUX DE PETITES PÊCHES IKEJIME*, OU DES CUEILLEURS D'ÉPICES RARES, ET SI JE TENDAIS SUFFISAMMENT L'OREILLE, J'ARRIVAIS PRESQUE À DÉCELER LEURS NOMS

PARFOIS, IL REVENAIT AU RESTAURANT LE DIMANCHE POUR PARTAGER UNE ERREUR DE CUISSON QUI AVAIT DONNÉ DES EFFETS SURPRENANTS, OU LA RECETTE D'UNTEL QUI AVAIT IMPRESSIONNÉ PENDANT LE WEEK-END.

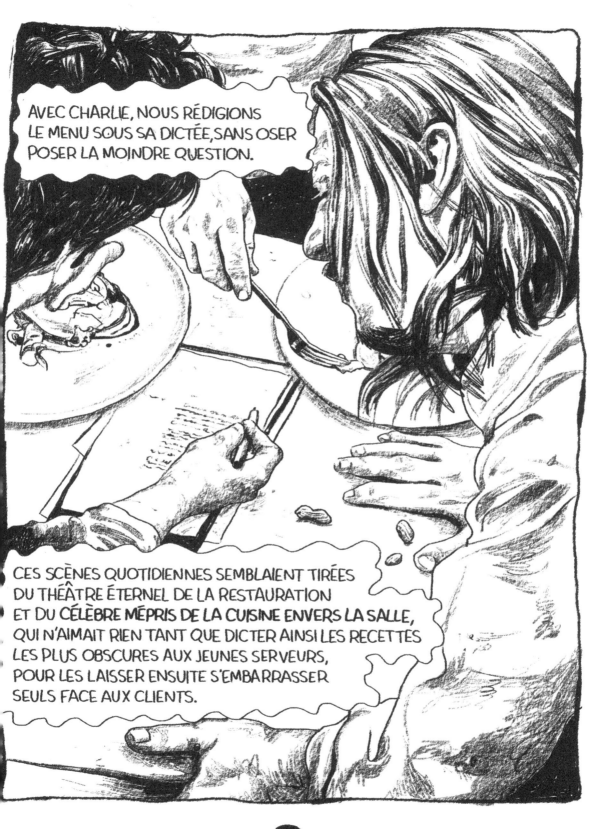

AVEC CHARLIE, NOUS RÉDIGIONS LE MENU SOUS SA DICTÉE, SANS OSER POSER LA MOINDRE QUESTION.

CES SCÈNES QUOTIDIENNES SEMBLAIENT TIRÉES DU THÉÂTRE ÉTERNEL DE LA RESTAURATION ET DU CÉLÈBRE MÉPRIS DE LA CUISINE ENVERS LA SALLE, QUI N'AIMAIT RIEN TANT QUE DICTER AINSI LES RECETTES LES PLUS OBSCURES AUX JEUNES SERVEURS, POUR LES LAISSER ENSUITE S'EMBARRASSER SEULS FACE AUX CLIENTS.

...MAIS LES DEUX INSPECTEURS FONT IRRUPTION PENDANT LE SERVICE!

POLICE!

POLICE JUDICIAIRE

ENCORE VOUS!

VOS DEUX SERVEURS SONT EN ÉTAT D'ARRESTATION DANS LE CADRE DE L'ENQUÊTE SUR LA MORT DE YOTSU KAGARI!

VOUS ALLEZ PAS M'ENLEVER MES GARS EN PLEIN SERVICE?!

ILS SONT LES DERNIÈRES PERSONNES À AVOIR VU YOTSU VIVANT.

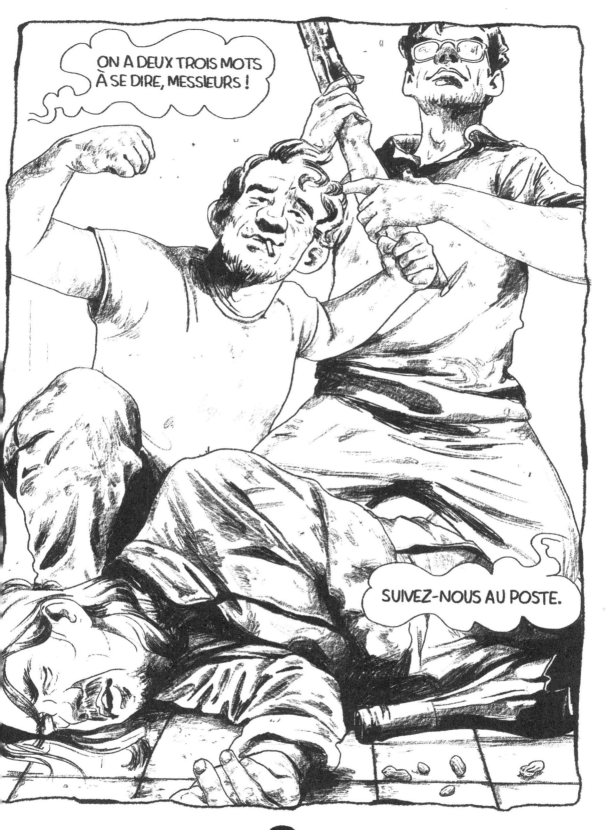

CHAPITRE 8
LA VOLATILE NE DORT JAMAIS

CHARLIE ET STEVE ATTERRISSENT EN CELLULE DE DÉGRISEMENT, SANS AUCUNE POSSIBILITÉ DE BOIRE UN COUP...

POURQUOI SE RETROUVE T-ON TOUJOURS DANS LE VISEUR DES FLICS ?

TU NE VOIS PAS PLUS LOIN QUE LE BOUT DE TON TIRE-BOUCHON !

TU NE COMPRENDS PAS QU'ON EST COMPLÈTEMENT MANIPULÉS DANS CETTE HISTOIRE ?

MANIPULÉS ? MAIS PAR QUI ?

QUI DEVAIT NOUS REJOINDRE HIER SOIR, MAIS NE S'EST JAMAIS POINTÉE, ET COMME PAR HASARD CE SONT LES FLICS QUI DÉBARQUENT À SA PLACE ? QUI EN CONNAÎT UN RAYON SUR DIMITRI, SANS POUR AUTANT JAMAIS CAUSER ?

...JANE ?

ELLE AURA EU UN EMPÊCHEMENT HIER SOIR, VOILÀ TOUT.

BINGO.

ENFIN, C'EST LA DEUXIÈME FOIS QU'ELLE ME FAIT LE COUP...

STEVE

L'ANNÉE DERNIÈRE, LE FILLMORE AVAIT REÇU LE PRIX
DU MEILLEUR BISTROT POUR LA 3ÈME ANNÉE CONSÉCUTIVE,
ET LE BOSS S'EN TAPAIT LA TROISIÈME FOIS TOUT AUTANT
QU'IL S'EN ÉTAIT TAPÉ LA PREMIÈRE.

MAIS CETTE FOIS-LÀ,
J'AVAIS RÉUSSI L'EXPLOIT DE LE CONVAINCRE QUE CE GENRE
DE PRIX ÉTAIT BON POUR FAIRE VENIR LES TOURISTES,
ET VU QUE LE CAHIER DE RÉSERVATION ÉTAIT UN PEU MOINS
REMPLI QUE L'ANNÉE DERNIÈRE À LA MÊME PÉRIODE,
LE BOSS ME DEMANDA EXCEPTIONNELLEMENT D'ALLER RECEVOIR
LE PRIX À SA PLACE À NEW YORK OÙ SE TENAIT LA CÉRÉMONIE,
ET DE FAIRE DE LA PUB POUR LE FILLMORE.

QUELLE JOIE DE PARTIR QUELQUES JOURS À L'ÉTRANGER
DANS UNE VILLE AUSSI FANTASTIQUE ! MOI QUI PASSAIS
MES JOURNÉES ENFERMÉ DANS LA MÊME SALLE, DU MÊME
RESTAURANT, AU RYTHME DES MÊMES SERVICES !

JE M'Y OCCUPAIS TANT BIEN QUE MAL EN PARCOURANT
LA LISTE DES VINS SANS N'Y RIEN TROUVER À BOIRE,
EMPÊTRÉ QUE J'ÉTAIS DANS LE DÉCALAGE HORAIRE
ET MANQUANT TERRIBLEMENT D'IMAGINATION.

DE TOUTES LES MANIÈRES, JE NE DÉTESTAIS RIEN DE PLUS
QUE DE BOIRE UNE BOUTEILLE SANS CHARLIE.

JE CHERCHAIS UN ENDROIT POUR FUMER UNE CIGARETTE
BIEN QU'AUCUN AMÉRICAIN NE SOIT DU GENRE À FUMER
DE CIGARETTE AUTOUR DE MOI ET, EN SUIVANT LE BAL
DES SOMMELIERS QUI BOSSAIENT LÀ, TROUVAI RAPIDEMENT
UN CHEMIN VERS UNE PETITE RUELLE À L'ARRIÈRE DU THÉÂTRE.

AVEC LE TEMPS J'AVAIS FINI PAR COMPRENDRE QUE CELUI
QUI SUIVAIT UN SOMMELIER SUFFISAMMENT LONGTEMPS
FINISSAIT TOUJOURS PAR TOMBER SUR UNE PAUSE CLOPE.

C'EST LÀ QUE J'AI RENCONTRÉ JANE.
ELLE AVAIT SON TABLIER DE SERVEUSE ET FUMAIT
ASSISE À MÊME LE SOL. « GOTTA BRIQUET? »
DEMANDAI-JE AVEC UN ACCENT.
« OUAIS », ME RÉPONDIT-ELLE EN FRANÇAIS.

ET TOUT EN ME DONNANT SON BRIQUET,
ELLE SE SAISIT DE LA CARTE DES VINS DE LA CÉRÉMONIE
QUE J'AVAIS GARDÉE COMME PAR RÉFLEXE DANS LES MAINS,
INCAPABLE QUE J'ÉTAIS DE FAIRE UN CHOIX.

JANE S'AMUSA À LA LIRE À VOIX HAUTE...
MOI QUI AVAIS TENU CETTE CARTE SI SAGEMENT,
JE VOYAIS DÉSORMAIS JANE, DÉSINVOLTE,
EN FAIRE JONGLER LES NOMS !

EN METTRE D'ABORD DIRECTEMENT CERTAINS
DE CÔTÉ D'UNE SIMPLE MOUE, OU BIEN S'ARRÊTER SUR D'AUTRES,
HÉSITER, REVENIR SUR UN NOM QU'ELLE ÉTAIT ÉTONNÉE DE VOIR
FIGURER EN LA COMPAGNIE D'UN AUTRE, PUIS RIRE À L'ANNONCE
D'UN AUTRE ENCORE, ET EN TIRER AUTANT DE CONCLUSIONS
SUR LE GENRE D'ÉVÈNEMENT OÙ NOUS NOUS TROUVIONS,
OU LE CARACTÈRE DES SERVEURS QUI Y TRAVAILLAIENT,
OU PEUT-ÊTRE ENCORE SUR MOI-MÊME QUI Y ÉTAIT INVITÉ.

JE RÉALISAI À CET INSTANT QUE SI CETTE LISTE AVAIT ÉTÉ
POUR MOI UN LONG LABYRINTHE DANS LEQUEL
J'AVAIS NAÏVEMENT FLÂNÉ JUSQU'À ME PERDRE,
JANE, ELLE, EN AVAIT PARCOURU LE CHEMIN D'UN TRAIT !

ET QUAND DE RETOUR EN SALLE, ET ME RECONNAISSANT
À MA TABLE, ELLE COMMANDA AVEC AUTORITÉ AU SOMMELIER
LE VIN QUI ACCOMPAGNERAIT MON DÎNER,
JE NE POUVAIS PENSER À UNE BOUTEILLE PLUS JUSTE
OU À UN VIN PLUS PARFAIT QUE CELUI QU'ELLE CHOISISSAIT
POUR MOI SI RÉSOLUMENT SOUS MES YEUX, ET JE SENTAIS
L'HONNEUR QUI M'ÉTAIT FAIT D'ASSISTER À UNE COMMANDE
SI BIEN FAITE TANT IL M'ÉTAIT IMPOSSIBLE DE DOUTER
DE LA QUALITÉ DU VIN QU'ELLE DÉSIGNAIT
− NON PAS QU'IL FÛT VINIFIÉ PAR TEL OU TEL VIGNERON EN VUE −
MAIS DU SEUL FAIT QU'IL AVAIT RETENU SON ATTENTION.

CAR JUSTE AVANT QUE JE NE REJOIGNE MA PLACE,
QUAND JE ME TENAIS ENCORE DANS L'ARRIÈRE-COUR DE SERVICE
AVEC ELLE, J'AVAIS COMPRIS EN LA REGARDANT LIRE,
QUE J'AVAIS TROUVÉ LÀ COMME UNE SOEUR JUMELLE
AUPRÈS DE LAQUELLE ON NE PEUT S'EMPÊCHER
DE SE SENTIR RASSURÉ, OU BIEN ENCORE UNE AMIE D'UNE VIE PASSÉE
QUE JE N'AVAIS SIMPLEMENT PAS PRIS LA PEINE D'OUBLIER.

« I AM JANE », M'AVAIT-ELLE DIT EN ME RENDANT LA CARTE.
« JE TIENS LE BAR LE WILD CATS. ICI C'EST JUSTE UN PLAN EXTRA.
3H DE SERVICE, 350 DOLLARS. » ET REMARQUANT L' ÉTIQUETTE
DU FILLMORE SUR LA POCHE DE MON SMOKING : « AH, TU BOSSES
AU FILLMORE. CLASSE. RETROUVE-MOI AU CATS APRÈS
TA PETITE SOIRÉE. ON FAIT LA FERMETURE CE SOIR AVEC L'ÉQUIPE. »

ELLE PARTIT DANS LE COULOIR REPRENDRE SON SERVICE
ET JE M'APERÇUS QUE J'AVAIS GARDÉ SON BRIQUET !
JE L'INTERPELLAI AVANT QU'ELLE N'OUVRE LA PORTE : « JANE ! »
MAIS QUAND ELLE SE RETOURNA, JE NE TROUVAI PLUS MES MOTS,
J'AVAIS LE SOUFFLE COUPÉ. JANE M'EMBRASSA POUR ABRÉGER
LE SILENCE. « YOU ARE A GOOD KISSER », ME DIT-ELLE.

DE RETOUR À LA REMISE DE PRIX, ET DURANT DE LONGUES HEURES
QUI ME PARURENT INTERMINABLES AVANT QUE JE N'AILLE
RECEVOIR LA PLAQUE QUI COURONNERAIT LE FILLMORE COMME
MEILLEUR JE-NE-SAIS-QUOI DE L'ANNÉE ET ME RENDANT COMPTE
DU RIDICULE DE MA PRÉSENCE, ME RAPPELANT LES MOTS DU BOSS
AU SUJET DE CES CÉRÉMONIES, ET SACHANT QUE JE NE POURRAIS
PRONONCER LE MOMENT VENU QUE DE PÉNIBLES PHRASES
MALADROITEMENT PRÉPARÉES TELLES QUE :

« HUM... LE BOSS NE PEUT HUM... MALHEUREUSEMENT PAS
ÊTRE AVEC NOUS CE SOIR, CAR NOUS AVONS REÇU
DES CREVETTES VIVANTES DES MARAIS QU'IL AIME FAIRE
LUI-MÊME FLAMBER À LA MARSEILLAISE, MAIS SACHEZ
QU'IL AURAIT SACRÉMENT AIMÉ ÊTRE PRÉSENT, ETC. »

JE PASSAIS LE TEMPS EN QUESTIONNANT MES VOISINS
DE TABLE AU SUJET DE CE FAMEUX WILD CATS JAZZ BAR,
MAIS PERSONNE N'EN AVAIT JAMAIS ENTENDU PARLER,
ET À LA MINUTE OÙ LA SOIRÉE TOUCHA À SA FIN,
JE COURUS M'Y RENDRE SOUS LA PLUIE.

LE TAXI ME LIBÉRA JUSTE DEVANT LE CATS.

JE FRAPPAI À LA PORTE, D'ABORD POLIMENT, PUIS EN FORCENÉ.
JE VOYAIS POURTANT DE LA LUMIÈRE À L'INTÉRIEUR DE LA SALLE
MAIS PERSONNE NE SEMBLAIT VOULOIR M'OUVRIR.

LA NUIT PASSAIT. MON AVION DÉCOLLAIT DANS QUELQUES
HEURES DÉJÀ. L'ATTENTE ÉTAIT TERRIBLE ET PESAIT SUR CHAQUE COIN
DU DÉCOR, CHAQUE VOITURE QUI PASSAIT ME METTAIT AUX AGUETS,
CHAQUE IMMEUBLE DONT LA PORTE CLAQUAIT ME PRENAIT
PAR SURPRISE, PUIS UN SILENCE INTERMINABLE PARCOURUT LA RUE.

ET APRÈS ÊTRE RESTÉ PLANTÉ LÀ SUFFISAMMENT LONGTEMPS
SOUS LA PLUIE À SCRUTER LE MOINDRE MOUVEMENT DE PORTE
DU WILD CATS, ET PUISQU'IL NE RESTAIT PLUS QU'UNE CIGARETTE
À MOITIÉ SÈCHE DANS MON PAQUET DÉTREMPÉ, JE PARTIS FUMER
QUELQUES BLOCS PLUS LOIN, SOUS UN ENDROIT ABRITÉ, AMER,
LAISSANT ÉCHAPPER QUELQUES LARMES À LA SEULE CONDITION
QUE LA PLUIE LES CACHÂT, ET JE PENSAI AUX TOURS DE PASSE-PASSE
QUE SOUVENT LE DESTIN NOUS RÉSERVE, ET AUX SECRETS
DE L'AMITIÉ QUE L'ON DONNE SI SPONTANÉMENT PARFOIS
SANS QU'ELLE NE SOIT RENDUE, COMME UN FRUIT QU'ON LANCE
NAÏVEMENT EN L'AIR ET QUI MYSTÉRIEUSEMENT NE RETOMBE PAS.

PAUVRE YOTSU, EMPORTÉ PAR LA VOLATILE. À QUI POUVAIT-IL PIQUER DES CIGARETTES, MAINTENANT, LÀ OÙ IL SE TROUVAIT ? SI TOUT ÉTAIT À REFAIRE, JE LUI SERVIRAIS VOLONTIERS UN DES DERNIERS LEONIDOVITCH COSTAT DU BOSS.

HA HA HA HA HA HA

IL DISAIT AVOIR QUITTÉ LE GRAND DIMITRI MOINS D'UNE HEURE AVANT DE NOUS AVOIR RETROUVÉS AU FILLMORE, ET NOUS N'AVIONS MÊME PAS EU LE TEMPS DE LUI POSER LA MOINDRE QUESTION.

COMMENT ÉTAIT-CE POSSIBLE ? PEUT-ÊTRE S'ÉTAIT-IL TROMPÉ ? IL AURAIT PRIS UN AUTRE POUR DIMITRI ? LE MALHEUREUX ÉTAIT IVRE COMME UN COING. IL NE TENAIT PAS L'ALCOOL, MAIS ÇA NE LE DÉCOURAGEAIT PAS DE BOIRE POUR AUTANT. QUEL PASSIONNÉ !

ET AVANT D'OUVRIR LA PORTE DU FILLMORE, JE DEMANDERAI À CHARLIE DE ME SERRER LE TABLIER FORT AUTOUR DES FLANCS, DE PEUR QUE JE NE LE RENDE. QUEL MÉTIER IMPOSSIBLE QUE CELUI QUE J'AI À PEINE CHOISI. LE DERNIER GAGNE-PAIN QUI RESTE APRÈS AVOIR USÉ TOUS LES AUTRES.

YOTSU, M'ACCUEILLERAS-TU DANS TON BISTROT COMME JE T'AI ACCUEILLI DANS LE MIEN, EN ME REFUSANT UN VERRE ?

Ô VOLATILE, RAPPELLE-MOI À MES SOUVENIRS!

LORSQUE NOUS BUVIONS AVEC CHARLIE APRÈS LE SERVICE, UNE FOIS LE BOSS PARTI. IL NE RESTAIT PARMI NOUS QUE LE SILENCE DES CHAISES RENVERSÉES ET LE SOUVENIR DES TABLES SALES. NOUS BUVIONS CHARLIE, TOI ET MOI, SANS Y PENSER ET LE VIN NOUS RASSASIAIT. IL ÉTAIT SI FACILE À BOIRE, ET NOUS NE LUI CHERCHIONS AUCUNE AUTRE QUALITÉ À CETTE HEURE DE LA NUIT.

NOS REGARDS ÉTAIENT BIEN TROP PERDUS POUR S'ARRÊTER SUR LA MOINDRE ÉTIQUETTE, ET ZAPATA LUI-MÊME N'AURAIT PAS CHERCHÉ À METTRE DE NOM SUR LE VIN QUI SE TROUVAIT DANS NOS VERRES.

NE CHERCHEZ PLUS MON ÂME AU FOND DE MES YEUX, ELLE EST AU BOUT DE MA LANGUE AU MOMENT OÙ JE FINIS CE VERRE. CHARLIE GRATTE LE BOIS DE LA TABLE. IL FUME ATTABLÉ À CÔTÉ DE MOI. ET NOUS SOMMES À L'ABRI. CE SOIR PEUT-ÊTRE OUBLIERONS-NOUS ENCORE DE DORMIR ?

SI LE VIN NE MÉRITE QU'UNE HEURE DE TEMPS, C'EST DE CETTE HEURE LÀ QU'IL S'AGIT ! DIMITRI, EST-CE CELA, TON SECRET ENSEIGNEMENT ?

CHARLIE

LAISSE-MOI TE RACONTER UNE HISTOIRE, STEVE...
UN SOIR, ALORS QUE JE FINISSAIS LE SERVICE AU FILLMORE,
ET BIEN AVANT QUE TU NE REJOIGNES L'ÉQUIPE,
UN CLIENT ENTRA POUR S'INSTALLER DIRECTEMENT AU BAR.

ON DEVINAIT QU'IL AVAIT MARCHÉ TOUTE LA JOURNÉE
ET QU'IL VENAIT COMME S'ÉCHOUER À MON COMPTOIR
APRÈS UNE LONGUE TRAVERSÉE. IL ME COMMANDA POLIMENT
UN PLAT DU JOUR SANS EN DEMANDER LE DÉTAIL.

L'HEURE LIMITE DE LA DERNIÈRE COMMANDE ÉTAIT DÉPASSÉE
DE BIEN 20 MINUTES ET LES DEUX CHEFS JAPONAIS EN CUISINE
COMMENÇAIENT DÉJÀ LE NETTOYAGE DE LEUR MISE EN PLACE.
ILS ME LANCÈRENT UN REGARD DE MÉPRIS COMME SEUL UN CHEF
JAPONAIS SAIT LE FAIRE LORSQUE JE LEUR DEMANDAI L'EFFORT
DE SORTIR UN DERNIER « PJ » POUR MON CLIENT TARDIF.

LE VISITEUR – TÉMOIN DE LA SCÈNE DERRIÈRE SA GRANDE BARBE –
M'EN FUT RECONNAISSANT, ET QUAND JE LUI DEMANDAI
CE QU'IL VOULAIT BOIRE IL ENGAGEA LA CONVERSATION
ET ME DIT DANS UN SOURIRE :

« DE L'EAU, MON AMI. »

JE SORTIS LA CARAFE POUR LE SERVIR, MAIS IL ARRÊTA MA MAIN.

« NON, NON, PAS DE L'EAU MINÉRALE,
VÉGÉTALE, DE L'EAU VÉGÉTALE... »

IL VIT QUE JE NE COMPRENAIS PAS, ET JE LE SENTAIS AMUSÉ
DE SON EFFET.

ET PORTANT LE VERRE À LA LUMIÈRE DE LA LAMPE, IL POURSUIVIT.

« VOYEZ-VOUS, JEUNE HOMME, TOUTE LA SUBTILITÉ DU TRAVAIL D'UN VIGNERON EST DE LAISSER-FAIRE LA VIGNE, MAIS DE NE JAMAIS LA LAISSER-ALLER. LAISSER-FAIRE LA VIGNE EST LE TRAVAIL PHARAONIQUE D'UNE VIE ET LE CONTRAIRE DU LAISSER-ALLER. »

JE RESSERVIS L'HOMME, ET LUI DIS EN LE TUTOYANT DANS UN ÉLAN D'AFFECTION:

« TU ME PLAIS, TU N'ES PAS COMME TOUS CES FLIPPÉS DE LA VOLATILE QUI CHERCHENT DANS LE VIN LES DÉFAUTS AVANT MÊME D'AVALER. »

L'HOMME ÉLEVA ALORS LA VOIX SANS PRÉVENIR.

« ILS BOIVENT AVEC LA TÊTE ET NON PAR LE CORPS ! »

ET S'ACCROCHANT À MON BRAS :

« LES DÉFAUTS, LES DÉFAUTS. ON NE TROUVE QUE CE QUE L'ON CHERCHE, L'AMI ! **AU DIABLE LA VOLATILE ! ELLE NE PASSERA PAS !** »

JE TRINQUAI AVEC LUI À CE SLOGAN. UNE FOIS SON PLAT FINI, L'HOMME LAISSA UN BILLET SUR LE COMPTOIR SANS EN ATTENDRE LA MONNAIE ET REPRIT SA ROUTE. IL ME LANÇA UN CLIN D'OEIL ET EN GUISE D'AU-REVOIR :

« SUIVEZ VOTRE INSTINCT, JEUNE HOMME, ET APPRENEZ D'UN VIEUX BADAUD COMME MOI DONT LA SOIF NE DATE PAS D'HIER QUE LE COMBLE DU VIN EST BIEN L'EAU PÉTILLANTE ! »

APRÈS SON DÉPART, JE REMARQUAI QUE L'HOMME
AVAIT LAISSÉ UNE BOUTEILLE SANS ÉTIQUETTE SUR LE COMPTOIR.
UNE FOIS LE RESTAURANT FERMÉ, J'OUVRIS LE CANON :
C'ÉTAIT UN CHENIN OXYDATIF COMME JE N'EN AVAIS JAMAIS
GOÛTÉ, SI FACILE À BOIRE QU'IL ME RAPPELAIT LES SENSATIONS
DE LA GOURDE APRÈS LES LONGUES MARCHES DE MONTAGNE,
ET ALORS QUE JE ME REMÉMORAIS LE DÉROULÉ DE LA SCÈNE,
JE M'EXCLAMAI :

BON SANG,
MAIS C'ÉTAIT DIMITRI
LEONIDOVITCH COSTAT !

JANE

IL FAUT AVOIR LA MEILLEURE DOPE, M'SIEUR.
ET MÊME SI J'EN CONNAIS UN RAYON EN MUSIQUE, JE M'Y CONNAIS
BIEN PLUS EN MATIÈRE DE DOPE. J'EN AVAIS DES BOUTEILLES
ENTIÈRES RANGÉES DERRIÈRE LE BAR, QU'ON NE TROUVAIT NULLE
PAR AILLEURS AUX US, DES PETITS JUS ÉLÉCTRIQUES BLINDÉS
DE VOLATILE QUI N'AVAIENT MÊME PAS LE TAMPON DES DOUANES,
QUI FERAIENT FERMER LE CLUB À LA MOINDRE INSPECTION.

PERSONNE NE SAVAIT VRAIMENT CE QUE C'ÉTAIT À PART MOI,
ET ENCORE MOINS LE PATRON OU LES SERVEURS. MES MUSICIENS
DE HARLEM À GREENWICH ÉTAIENT COMPLÈTEMENT ACCROS.
C'ÉTAIT BIEN MEILLEUR QUE TOUS LES MAUVAIS CAILLOUX
DE LA 110ÈME. CERTAINS SOIRS, JE LEUR OUVRAIS MÊME UN MAGNUM
À HAUT VOLTAGE DANS LA LOGE ET PLUS TARD SUR SCÈNE,
ÇA S'ENTENDAIT CARRÉMENT DANS LA MUSIQUE. APRÈS ÇA,
ILS NE SE FAISAIENT PAS PRIER POUR REVENIR TOUS LES SOIRS
JOUER AU CATS.

« DOPE ? MAIS VOUS VOULEZ PARLER DE VIN ? »

APPELEZ ÇA COMME VOUS VOULEZ. LE SEUL PROBLÈME ÉTAIT
QUE LE BOSS DU CATS ÉTAIT UN VRAI PERVERS. JE VOYAIS BIEN
SON REGARD SUR MES FESSES DÈS QUE JE ME PENCHAIS
POUR SERVIR. UN SOIR, J'AVAIS ACCEPTÉ UN JOB D'EXTRA
À L'EXTÉRIEUR DANS UN THÉÂTRE DE MIDTOWN. UNE REMISE
DE PRIX POUR DES RESTAURANTS DE TOURISTES,
MAIS ÇA PAYAIT BIEN. J'AVAIS LAISSÉ UNE COPINE TENIR LE BAR
À MA PLACE QUELQUES HEURES ET LA RETROUVAIS EN FIN DE SOIRÉE
POUR L'AIDER À FERMER LE CATS.

FERMETURE AU WILD CATS...

UN JOUR LOU REED ARRIVE AU RESTAURANT OÙ JE BOSSAIS. LOU REED ! IL S'INSTALLE SOLO À LA TABLE DU FOND, S'AVALE UNE OMELETTE ET...S'ALLUME UNE CLOPE EN PLEIN RESTO !

ALORS LE CHEF DE SALLE PANIQUE ET COURT ME VOIR " CHEFFE, LOU REED VIENT D'ALLUMER UNE CIGARETTE EN PLEIN MILIEU DU RESTAURANT ! QUE DOIS-JE FAIRE ?! "

QUE LUI AS-TU RÉPONDU ?

" APPORTE-LUI UN CENDRIER ! "

HAHAHA !

C'ÉTAIT CARABINÉ CE SOIR ! PARFOIS, J'AIMERAIS QU'ON RÉTABLISSE LA TAULE POUR LES TYPES QUI DEMANDENT DU PAIN AVANT MÊME DE COMMANDER À MANGER.

C'EST LES MÊMES QUI TE DEMANDENT TOUJOURS DU SEL ET DU POIVRE AVANT D'AVOIR GOÛTÉ LEUR PLAT !!!

173

ET C'EST AINSI QUE JE SUIS ARRIVÉE EN FRANCE
OÙ J'AVAIS DÉCIDÉ DE PARTIR RETROUVER LE VIGNERON
QUE J'ADMIRAIS LE PLUS : DIMITRI LEONIDOVITCH COSTAT.

MAIS EN ARRIVANT À SON DOMAINE, JE NE TROUVAI AUCUNE TRACE
DE DIMITRI ! IL N'Y AVAIT QU'UN PAUVRE AMÉRICAIN PROSTRÉ
DEVANT LA PORTE SANS LA FORCE DE PRONONCER LE MOINDRE MOT.

J'ÉTAIS COMPLÈTEMENT PERDUE !
APRÈS QUELQUES JOURS PASSÉS À M'OCCUPER DE LUI, L'AMÉRICAIN
ME RACONTA SON HISTOIRE, SES DIPLÔMES D'OENOLOGIE,
L'ACCIDENT DE TRAIN AVEC LA FEMME DE DIMITRI.

IL ÉTAIT UN DES SOMMELIERS LES PLUS RÉPUTÉS AU MONDE !
IL S'APPELAIT JACK. APRÈS UN TERRIBLE ACCIDENT, IL AVAIT DÉCIDÉ
– COMME MOI – D'ALLER RETROUVER DIMITRI.
MAIS ARRIVÉ AU DOMAINE, DIMITRI ÉTAIT DÉJÀ PARTI,
ÉVAPORÉ DIEU SAIT OÙ.

ET PUISQUE NOUS N'AVIONS RIEN D'AUTRE À FAIRE PARMI CES VIGNES
À L'ABANDON, NOUS ENTREPRÎMES AVEC JACK DE REMETTRE
LE DOMAINE EN ÉTAT, EN ESPÉRANT SON RETOUR PROCHAIN.

MAIS DIMITRI NE REVINT PAS. LES VIGNES ÉTAIENT SI ÉCLATANTES
D'ÉNERGIE, SI LUXURIANTES... RAPIDEMENT LES VENDANGES
S'AVERÈRENT EXCEPTIONNELLES. JACK DÉCIDA ALORS DE VINIFIER
LE VIN, ET À LA MISE EN BOUTEILLE IL LAISSA LES ÉTIQUETTES
AU NOM DE DIMITRI LEONIDOVITCH, COMME SI DIMITRI AVAIT
FAIT LE VIN LUI-MÊME AVEC NOUS.

MAIS L'ÉTAT MENTAL DE JACK SE DÉGRADAIT UN PEU PLUS CHAQUE JOUR.
IL DEVENAIT DE PLUS EN PLUS PARANOÏAQUE,
ET NE POUVAIT SE LIBÉRER DES IMAGES DE SON ACCIDENT.

IL SE SENTAIT TERRIBLEMENT COUPABLE D'AVOIR LAISSÉ
LA FEMME DE DIMITRI DANS CE FICHU TRAIN.

AU MILIEU DES RANGS DE VIGNE, JACK ME PARLAIT SOUVENT D'ELLE,
ET DE L'HÉDONISME ÉLÉMENTAIRE QU'ELLE AVAIT RAVIVÉ EN LUI.
JACK AVAIT MÊME TROUVÉ DANS L'ANCIENNE CHAMBRE DE DIMITRI
UN CARNET DE NOTES QU'IL LISAIT AVIDEMENT.
AU DÎNER, IL ME CITAIT LES MEILLEURES PAGES.

CERTAINS SOIRS, JE PENSAIS QUE JACK SE CROYAIT
DEVENU DIMITRI LUI-MÊME...

LES MOIS PASSAIENT ET LA CONDITION DE JACK EMPIRAIT.
LES IMAGES DU DÉRAILLEMENT DU TRAIN NE LE LAISSAIENT
TOUT SIMPLEMENT PAS TRANQUILLE. COMME IL PENSAIT AVOIR PRÉDIT
L'ACCIDENT DE TRAIN, IL PRÉDISAIT DÉSORMAIS UN ACCIDENT PIRE ENCORE,
UNE « GRANDE CATASTROPHE » QU'IL THÉORISAIT COMME LE SIGNE
D'UNE TERRIBLE RÉVOLUTION À VENIR ET L'AVÈNEMENT D'UN
« HOMME NOUVEAU ».

JACK TENAIT DE LONGS DISCOURS QUI ATTIRÈRENT BIENTÔT
UN PETIT GROUPE D'ADORATEURS. ILS SE LANCÈRENT DANS UN PROJET
HALLUCINÉ: LA CRÉATION D'UN CONSERVATOIRE UNIVERSEL
DU « VIN PRÉSENT », UN MUSÉE À DESTINATION DES GÉNÉRATIONS FUTURES
OÙ ILS PRÉSERVAIENT LES VINS DE DIMITRI, AINSI QUE DE NOMBREUX
AUTRES VINS QU'ILS JUGEAIENT DE « NATURE RÉVOLUTIONNAIRE »
ET « AU PRÉSENT », SELON L'EXPRESSION DU GRAND DIMITRI.

JACK CONNUT ALORS UNE FRÉNÉSIE D'ACHAT DE VIN
POUR REMPLIR SON CONSERVATOIRE UNIVERSEL. IL AVAIT MÊME FAIT GRAVER
UNE PLAQUE À L'ATTENTION DE L'HOMME NOUVEAU QUI DÉCOUVRIRAIT
LE CONSERVATOIRE APRÈS LA « GRANDE CATASTROPHE »,
QU'IL VOYAIT ADVENIR À TOUT MOMENT.

UN BEAU JOUR, UN IMPORTATEUR DE VIN JAPONAIS
PASSA À L'IMPROVISTE AU DOMAINE, DANS L'ESPOIR DE BOIRE UN COUP.
D'HABITUDE, JACK FERMAIT LA PORTE AUX VISITEURS POUR PRÉSERVER
LE SECRET DE SES PROJETS, MAIS CE JOUR-LÀ, ELLE ÉTAIT RESTÉE
OUVERTE ET NOTRE IMPORTATEUR JAPONAIS PU ENTRER
DANS LE GRAND CONSERVATOIRE.

IL S'APPELAIT YOTSU.

IL Y A
QUELQU'UN ?

CHER DIMITRI !

YOTSU CRUT AVOIR AFFAIRE À DIMITRI LEONIDOVITCH COSTAT !
JACK NE LE CONTREDIT PAS, ET LUI FIT GOÛTER TOUTE LA CAVE !

APRÈS SON DÉPART,
LORSQUE JACK APPRIT QUE SITÔT DE RETOUR À PARIS,
YOTSU AVAIT ENTAMÉ UNE TOURNÉE DES BARS ET S'ÉTAIT VANTÉ
AUPRÈS DE QUI VOULAIT L'ENTENDRE QU'IL AVAIT RENCONTRÉ
LE GRAND DIMITRI LEONIDOVITCH COSTAT - EXCITANT AINSI L'APPÉTIT
DE TOUS LES IMPORTATEURS DU MILIEU - IL ÉCLATA DANS UNE COLÈRE
FOLLE ET PARTIT EN FURIE VERS LA CAPITALE POUR RETROUVER YOTSU !

MON DIEU.

JE N'ARRIVAI À PARIS QUE QUELQUES JOURS APRÈS,
DANS L'ESPOIR DE RAISONNER JACK, SI INQUIÈTE DE SA SANTÉ,
MAIS C'ÉTAIT MALHEUREUSEMENT TROP TARD.
JE COMPRIS VITE QUE, DANS UN EXCÈS DE FOLIE, IL AVAIT BUTÉ
CE MALHEUREUX YOTSU DE PEUR QU'IL NE COMPROMETTE SON SECRET !

FIN

LEXIQUE

ALLOCATION: CERTAINS DOMAINES CONNAISSENT UNE TELLE DEMANDE QU'ILS RATIONNENT LES COMMANDES, ATTRIBUANT UNE QUANTITÉ DÉTERMINÉE À CHAQUE CLIENT.

BUVEUR D'ÉTIQUETTES: QUAND ON BOIT AVEC LES YEUX, QUE CHAQUE BOUTEILLE EST UN TROPHÉE. ACTIVITÉ GÉNÉRALEMENT GOURMANDE EN OSEILLE. PÉJORATIF.

BLIND / BLINDER / À L'AVEUGLE: DÉGUSTER UN VIN SANS EN VOIR L'ÉTIQUETTE.

CANON: UNE BONNE DOSE DE VIN, GÉNÉRALEMENT À HAUT DEGRÉ DE BUVABILITÉ.

CARBO (NIQUE): MÉTHODE DE VINIFICATION, AUJOURD'HUI RÉPANDUE, QUI CONSISTE À FOURRER LES GRAPPES ENTIÈRES DANS UNE CUVE HERMÉTIQUE ET À ATTENDRE QUE LA NATURE FASSE SON BOULOT, DIOXYDE DE CARBONE AIDANT. FAIT DES VINS QUI PÈTENT DE FRUIT. ALTERNATIVE: SEMI-CARBO.

IKEJIMÉ: PRATIQUE ANCESTRALE D'ABATTAGE DU POISSON CONSISTANT À NEUTRALISER LE SYSTÈME NERVEUX DE L'ANIMAL VIVANT AVANT DE LE SAIGNER, RÉDUISANT AINSI LE STRESS ET LA DOULEUR LIÉS À L'OPÉRATION, ET AMÉLIORANT SES QUALITÉS GUSTATIVES.

MACÉRATION (VINS DE): FAIT RÉFÉRENCE À DES VINS BLANCS POUR LESQUELS ON A LAISSÉ MACÉRER LES RAISINS AVEC LEURS PEAUX PLUS LONGTEMPS QUE LA MOYENNE (PARFOIS DES MOIS); ON PARLE AUSSI DE « VINS ORANGE », LA PEAU COLORANT LE JUS JUSQU'À LUI DONNER UNE TEINTE AMBRÉE.

S'OUVRIR: QUAND UN VIN A PRIS L'AIR, DANS LE VERRE OU DANS UNE CARAFE, IL S'OUVRE, RÉVÈLE MIEUX SES ARÔMES.

OXYDATIF: LORSQU'UN VIN A ÉTÉ PLUS OU MOINS DÉLIBÉREMENT EN CONTACT PROLONGÉ AVEC L'OXYGÈNE, DURANT SON ÉLEVAGE EN PARTICULIER, IL S'OXYDE FINEMENT (PAR OPPOSITION À LA RÉDUCTION) ET DÉVOILE UNE AROMATIQUE SPÉCIFIQUE. PRATIQUE COURANTE DANS LE JURA, QUI A ESSAIMÉ UN PEU PARTOUT. À NE PAS CONFONDRE AVEC OXYDÉ.

RACINE: SELON LE CALENDRIER BIODYNAMIQUE, LES JOURS SONT « FLEUR », « FRUIT », « RACINE », ETC. CHAQUE JOUR ÉTANT CENSÉ AVOIR UN EFFET DIFFÉRENT SUR LA VIGNE OU LE VIN ET DÉTERMINER LES MESURES QUE L'ON DOIT PRENDRE À LEUR ÉGARD. LA BIODYNAMIE N'A AUCUNE BASE SCIENTIFIQUE.

SOURIS (GOÛT DE): DÉVIATION AROMATIQUE DU VIN SE CARACTÉRISANT PAR UNE SENSATION GUSTATIVE PERSISTANTE DE PEAU DE SAUCISSON, DE PAIN RASSIS, DE CACAHUÈTES OU ENCORE D'URINE DE SOURIS. LE GOÛT DE SOURIS PEUT PASSER, MAIS IL FAUT DE LA PATIENCE.

TAILLE (EN) GUYOT: L'UNE DES MANIÈRES DE TAILLER LA VIGNE. ELLE A L'AVANTAGE D'ÊTRE PLUTÔT SIMPLE À METTRE EN OEUVRE ET D'ASSURER, SI LES CONDITIONS DU MILLÉSIME LE PERMETTENT, UNE RÉCOLTE ABONDANTE.

UMAMI: LE FAMEUX CINQUIÈME GOÛT DE BASE (APRÈS LE SUCRÉ, LE SALÉ, L'ACIDE ET L'AMER); LE TERME SIGNIFIE LITTÉRALEMENT « GOÛT SAVOUREUX » EN JAPONAIS. IL QUALIFIE LES ALIMENTS CONTENANT BEAUCOUP DE GLUTAMATE. ON LE RETROUVE DANS LES TOMATES BIEN MÛRES, LES CHAMPIGNONS, LES FROMAGES, LA SAUCE SOJA...

VOLATILE (VOL' OU VOLAT' POUR LES INTIMES): L'ACIDITÉ VOLATILE EST PRODUITE NATURELLEMENT PENDANT LA FERMENTATION ALCOOLIQUE; TROP ÉLEVÉE, ELLE TEND VERS LE VINAIGRE. UN VIN QUI DÉPASSE LES NORMES AUTORISÉES N'EST PLUS « LÉGAL ET MARCHAND » ET N'EST PAS CENSÉ ÊTRE COMMERCIALISÉ. MAIS LE SEUIL AUTORISÉ EST RELATIVEMENT BAS ET CERTAINS VINS NATURE JOUENT ALLÈGREMENT AVEC LA LIGNE JAUNE.

ZÉRO ZÉRO / ZÉRO À LA MISE: DÉSIGNE L'ENSEMBLE DES VIGNERONS TÊTE EN L'AIR QUI *OUBLIENT* DE SULFITER LEURS VINS. PAR EXT. : ZÉRO À LA MISE, AUCUN AJOUT DE SULFITES À LA MISE EN BOUTEILLES.

REMERCIEMENTS

À LAURA ET MARINE
MARTHE

À R., COMPAGNON DE SERVICE
ET PREMIÈRE PERSONNE À AVOIR LU
LES BRIBES DE TEXTE QUE JE LUI MONTRAIS
À LA PAUSE APRÈS LES SERVICES.
IL M'A ENCOURAGÉ À ÉCRIRE
CETTE HISTOIRE, ET SANS LUI,
ELLE N'AURAIT PAS VU LE JOUR !
LOUIS

À DANIEL MACIEL,
POUR LA ATÔMICO.

CE LIVRE A ÉTÉ ACHEVÉ D'IMPRIMER PAR
JELGAVAS TIPOGRAFIJA (LETTONIE)
EN JUILLET 2022
DÉPOT LÉGAL: OCTOBRE 2022
ÉDITIONS NOURITURFU
256, AVENUE DAUMESNIL
75012 PARIS

CONTACT@NOURITURFU.COM
@ NOURITURFU
#LAQUILLEDUSIECLE